NEEM THE HALF-BOY
by IDRIES SHAH

NEEM EL MEDIO NIÑO
por IDRIES SHAH

HOOPOE BOOKS
LOS ALTOS, CA.

Once upon a time, when flies flew backwards
and the sun was cool, there was a country called
Hich-Hich, which means "nothing at all."
This country had a king, and it also had a queen.

Había una vez, cuando las moscas volaban al revés y el sol era frío, un país llamado Hich-Hich, que quiere decir "absolutamente nada".

Este país tenía un rey, y también tenía una reina.

Now the queen wanted to have a little boy for a
son because she didn't have one.

"How can I get a little boy?" she asked the king.

"I don't know, I'm sure," the king replied.

So the queen asked all the people, and they said,
"We are very sorry, but we can't tell Your Majesty how to get
a little boy."

(They called her "Your Majesty" because you always call
queens — and kings too — Your Majesty.)

Bueno, la reina quería tener un niño varón porque ella no tenía ninguno.

"¿Cómo puedo tener un niño?" le preguntaba al rey.

"Yo no sé, no estoy seguro", contestaba el rey.

La reina le preguntaba a todo el mundo, y todos le decían, "Lo sentimos mucho, pero no sabríamos decirle a Su Majestad cómo tener un niño varón."

(La llamaban "Su Majestad" porque siempre se les llama "Su Majestad" a las reinas – y a los reyes también).

So the queen asked the fairies, and they said,

"We could go and ask Arif the Wise Man."

The wise man was a very clever man, and he knew everything. So the fairies went to the place where Arif the Wise Man lived, and they said to him,

"We are the fairies from the country of Hich-Hich. That country has a queen, and she wants a little boy, but she doesn't know how to get one."

"I'll tell you how the queen can have a little boy for a son," said Arif the Wise Man, with a smile.

Entonces la reina les preguntó a las hadas, y éstas le dijeron,
"Nosotras podemos ir a preguntarle a Arif el Hombre Sabio."
El hombre sabio era muy listo, y sabía de todo.
De modo que las hadas fueron adonde vivía Arif el Hombre
Sabio, y le dijeron,
"Somos las hadas del país de Hich-Hich. Ese país tiene una
reina, y ella quiere tener un niño varón, pero no sabe cómo hacer
para tenerlo."
"Yo les diré cómo la reina puede tener un hijo varón", dijo Arif el
Hombre Sabio, con una sonrisa.

And he picked up an apple,
and he gave it to the fairies, saying,
"Give this apple to the queen and
tell her to eat it. If she eats it, she
will have a little boy."

So the fairies took the apple and
flew back to the queen.

"Your Majesty, we have been to
see the wise man, Arif, who knows
everything," they told her, "and he
says that you should eat this apple.
If you eat it, you will have a little
boy for a son."

Entonces recogió una manzana y se la dio a las hadas, diciendo,

"Denle esta manzana a la reina y díganle que la coma. Si ella la come, tendrá un niño varón."

Entonces las hadas le llevaron la manzana volando a la reina.

"Su Majestad, hemos estado con el hombre sabio, Arif, que lo sabe todo", le dijeron, "y él dice que usted debería comer esta manzana. Si usted la come, tendrá un niñito varón."

The queen was very pleased. She started to eat the apple, but before she had finished it, she forgot how important it was and started thinking about something else. And she dropped the apple, only half eaten.

La reina quedó muy contenta. Comenzó a comer
la manzana, pero antes de terminarla, se olvidó qué
importante era y se puso a pensar en otra cosa. Y dejó
caer la manzana, comida por la mitad.

And she did have a little boy.
But, because she had eaten only half of
the apple, the boy she had was a half-boy.

He had one eye and one ear, one arm
and one leg, and he hopped wherever
he went.

The queen called him Prince Neem,
because "neem" means "half" in
the language of that country.

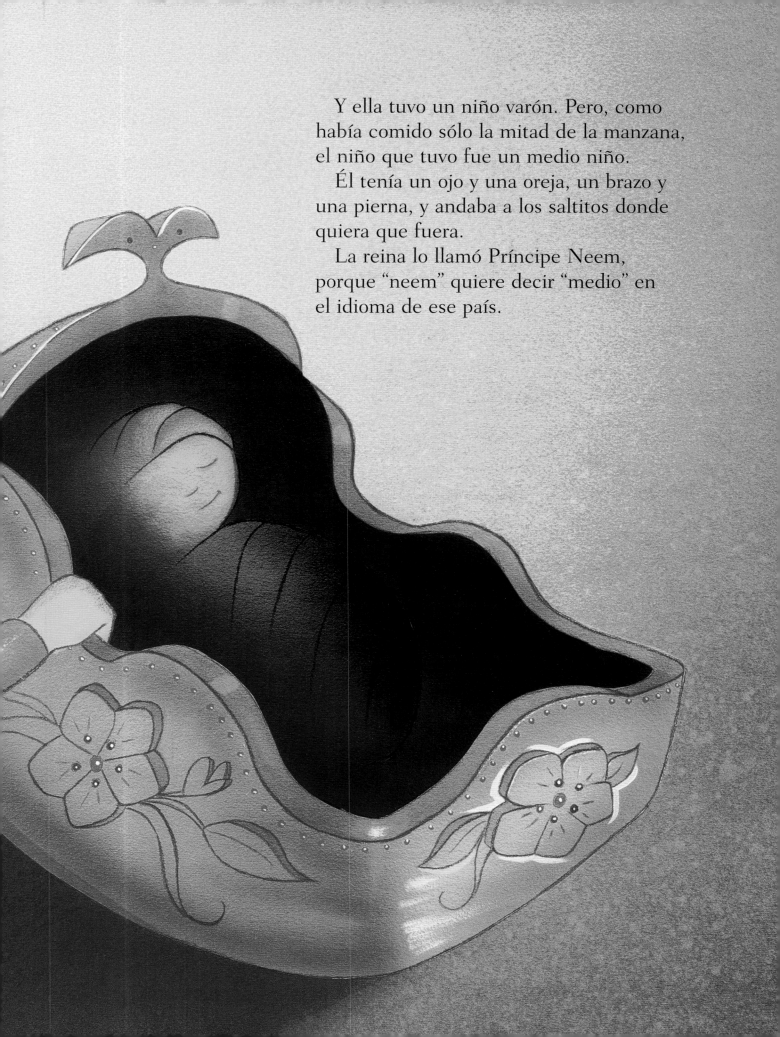

Y ella tuvo un niño varón. Pero, como
había comido sólo la mitad de la manzana,
el niño que tuvo fue un medio niño.

Él tenía un ojo y una oreja, un brazo y
una pierna, y andaba a los saltitos donde
quiera que fuera.

La reina lo llamó Príncipe Neem,
porque "neem" quiere decir "medio" en
el idioma de ese país.

As he grew bigger, Prince Neem went everywhere on a horse. As a half-boy, he could get around better on a horse, because he didn't have to hop.

He became very clever at riding his horse, and he grew to be a very clever little boy in every way.

But he got bored with being a half-boy, and he used to say,

"I would like to be a whole boy. How can I become a whole boy?"

And the queen would answer, "I'm sure I don't know."

And the king would say, "I have no idea at all."

Cuando ya era más grande, el Príncipe Neem iba a todas partes con su caballo. Como era un medio niño, se movía mejor en un caballo, ya que no tenía que andar a los saltitos.

Se hizo muy experto en montar a caballo, y llegó a ser un niño muy inteligente en todo sentido.

Pero se aburría de ser un medio niño, y solía decir,

"Me gustaría ser un niño entero. ¿Cómo puedo llegar a ser entero?"

Y la reina le respondía,
"No estoy segura, no sé."

Y el rey decía,
"No tengo la menor idea."

And the fairies, when they came to hear about it, said,

"Perhaps we should go and ask the wise man, who knows everything, how Prince Neem can become a whole boy."

So the fairies flew through the air to the place where Arif the Wise Man lived, and they said to him,

"We are the fairies who came to see you about the Queen of Hich-Hich who wanted a little boy, but he is only a half-boy, and he wants to be a whole boy. Can you help him?"

Y las hadas, cuando llegaron a escuchar esto, dijeron,
"Tal vez nosotras deberíamos ir a preguntarle al hombre
sabio, que lo sabe todo, cómo el Príncipe Neem puede
volverse un niño entero."

Entonces las hadas volaron por el aire al lugar en donde vivía
Arif el Hombre Sabio, y le dijeron:

"Somos aquellas hadas que vinieron a verlo acerca de la Reina
de Hich-Hich que quería tener un niño varón, pero él es sólo un
medio niño, y quiere ser un niño entero. ¿Lo podría ayudar?"

And Arif the Wise Man sighed and said, "The queen ate only half the apple. That is why she had only a half-boy. But, since that was so long ago, she cannot eat the other half. It must have gone bad by now."

"Well, is there anything that Neem, the half-boy, can do to become a whole boy?" asked the fairies.

"Tell Neem, the half-boy, that he can go to see Taneen, the fire-breathing dragon. He lives in a cave and is annoying everyone around by blowing fire all over them. The half-boy will find a special, wonderful medicine in Taneen's cave. If he drinks it, he will become a whole boy. Go and tell him that," said Arif the Wise Man.

So the fairies flew into the air, and they didn't stop flying until they came to the palace where the king and the queen and Neem, the half-boy, lived.

Y Arif el Hombre Sabio suspiró y dijo, "La reina comió sólo la mitad de la manzana. Por eso tuvo sólo un medio niño. Pero, como eso fue hace tanto tiempo, ella no puede comerse la otra mitad. Debe estar podrida ahora."

"Bueno, hay alguna cosa que Neem, el medio niño, pueda hacer para volverse niño entero?" preguntaron las hadas.

"Díganle a Neem, el medio niño, que él puede ir a ver a Taneen, el dragón que echa fuego por la boca. Él vive en una cueva y molesta a todo el mundo soplando fuego encima de ellos. El medio niño encontrará un remedio especial, maravilloso, en la cueva de Taneen. Si se lo toma, se volverá niño entero. Vayan y díganselo", dijo Arif el Hombre Sabio.

Entonces las hadas volaron por el aire y no pararon de volar hasta que llegaron al palacio donde vivían el rey y la reina y Neem, el medio niño.

When they got there, they found Prince Neem and said to him, "We have been to see Arif the Wise Man, who is very clever and knows everything. He told us to tell you that you must drive out Taneen the Dragon, who is annoying the people. In the back of his cave you will find the special, wonderful medicine which will make you into a whole boy."

Cuando llegaron, encontraron al príncipe Neem y le dijeron, "Hemos estado con Arif el Hombre Sabio, que es muy listo y sabe de todo. Él nos dijo que te dijéramos que tú debes expulsar a Taneen el Dragón, que está molestando a la gente. En el fondo de su cueva encontrarás un remedio especial, maravilloso, que te hará niño entero."

Prince Neem thanked the fairies, got on his horse, and trotted it to the cave where Taneen the Dragon was sitting, breathing fire all over the place.

"Now I am going to drive you out, Dragon!" cried Prince Neem to Taneen.

"But why should you?" asked Taneen.

And Prince Neem said, "I am going to drive you away because you keep breathing fire all over people and they don't like it."

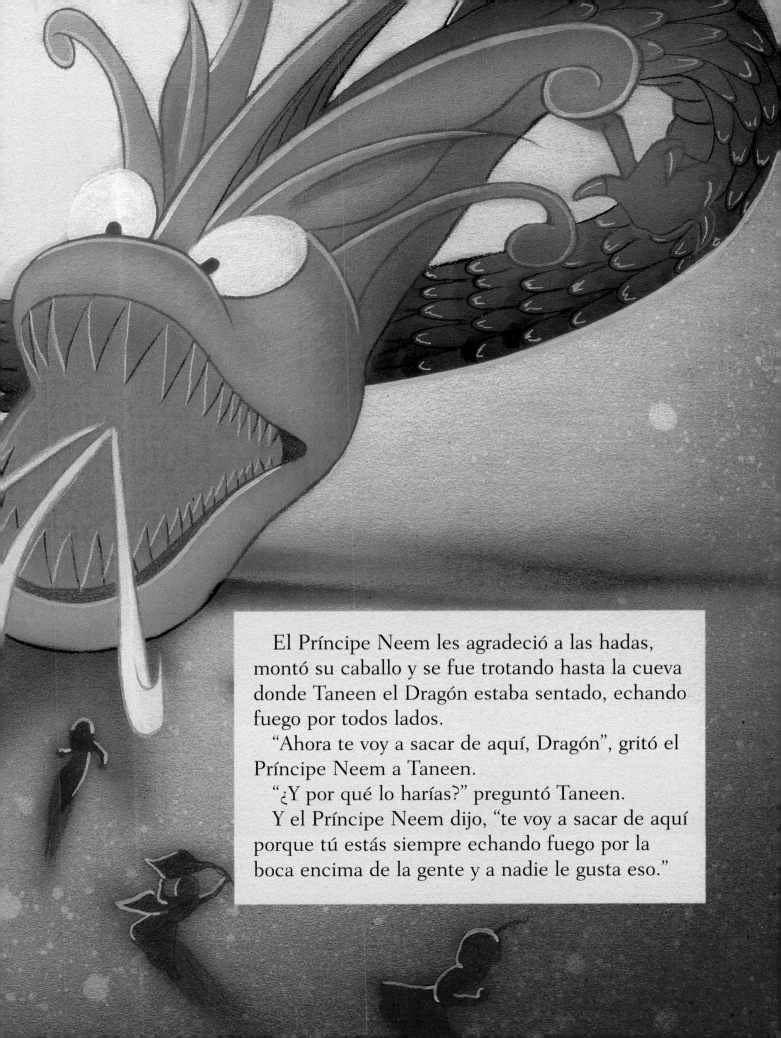

El Príncipe Neem les agradeció a las hadas, montó su caballo y se fue trotando hasta la cueva donde Taneen el Dragón estaba sentado, echando fuego por todos lados.

"Ahora te voy a sacar de aquí, Dragón", gritó el Príncipe Neem a Taneen.

"¿Y por qué lo harías?" preguntó Taneen.

Y el Príncipe Neem dijo, "te voy a sacar de aquí porque tú estás siempre echando fuego por la boca encima de la gente y a nadie le gusta eso."

"I must breathe fire because I have to cook my food. If I had a stove to do my cooking on, I wouldn't have to do it," replied Taneen sadly.

"I could give you a stove to do your cooking on. But I must still drive you out," said the prince, and the dragon replied,

"Why should you, if I stopped breathing fire over people?"

"I would have to get you to go because you have got a special, wonderful medicine in the back of your cave. If I drink it I can become a whole boy, and I want to be a whole boy very much," said Neem.

"But I could give you the medicine, so that you would not have to drive me away to get it. You could drink it, and you would become a whole boy. Then you could go and get me a stove, and I would be able to do my cooking, and I wouldn't have to blow fire all over people!" said the dragon.

"Yo debo echar fuego por la boca porque tengo que cocinar mi comida. Si yo tuviera una estufa para cocinar no necesitaría hacerlo", respondió Taneen con tristeza.

"Yo podría darte una estufa para que cocines. Pero aún así tengo que sacarte de aquí", dijo el Príncipe, y el dragón respondió:

"¿Por qué lo harías, si yo pararé de arrojar fuego encima de la gente?"

"Yo tendré que hacerte salir porque tú tienes un remedio especial, maravilloso, en el fondo de tu cueva. Si yo lo tomo, puedo volverme niño entero, y yo quiero muchísimo ser un niño entero."

"Pero yo podría darte el remedio, y así no tendrías que echarme de aquí para tenerlo. Tú podrías beberlo, y te volverías niño entero. Entonces podrías ir y conseguirme una estufa, y yo podría cocinar, y no tendría que soplar fuego encima de la gente!" dijo el dragón.

So Neem waited while the dragon went into the back of his cave. Presently Taneen came back with a bottle of the special, wonderful medicine.

Prince Neem drank it all down, and in less time than it takes to tell, he grew another arm, another side, another leg, another ear and everything.

Entonces Neem esperó mientras
el dragón iba al fondo de la cueva.
Al poco tiempo Taneen volvió con
una botella del remedio especial
y maravilloso.

El Príncipe Neem se lo tomó
todo, y en menos tiempo que lleva
contarlo, le creció otro brazo, otro
lado, otra pierna, otra oreja y todo
lo demás.

He had become a whole boy!
And he was very, very pleased.

¡Se había transformado en niño entero!
Y se puso muy muy contento.

He got on his horse and rode quickly back to the palace at Hich-Hich. There he fetched a cooking-stove and took it back to Taneen.

And after that Taneen the Dragon lived quietly in his cave, and never blew fire over anyone again, and all the people were very happy.

    Se subió al caballo y volvió rápido al palacio en
Hich-Hich. Allí buscó una estufa para cocinar y se la
llevó de vuelta a Taneen.
    Y después de esto Taneen el Dragón vivió quietecito
en su cueva, y nunca más sopló fuego encima de
nadie, y se quedaron todos muy contentos.

From then on, Neem, the half-boy, was called Kull, which means "the whole-boy" in the language of Hich-Hich.

It would have been silly of him to be called a half-boy when he was a whole one, wouldn't it?

And everyone lived happily for evermore.

Desde ese momento, Neem el medio niño comenzó a llamarse Kull, que significa "niño entero" en el idioma de Hich-Hich.

Habría sido tonto llamarse medio niño cuando ya era uno completo, ¿no?

Y todos vivieron felices para siempre.